건강한 의사소통

The Art of Healthy Communication

한국간호연구학회 편

소통저널

Pacific Books

The Art of Healthy Communication

CONTENTS

활동 1 열기 · 7

1-1 자기 소개 ······ 9
1-2 조 구성과 규칙 정하기 ······ 10

활동 2 자기이해 · 11

2-1 자존감 검사 ······ 12
2-2 비합리적 신념 ······ 13

활동 3 성격이해 · 15

3-1 MBTI(Myers-Briggs Type Indicator) ······ 16
3-2 에니어그램(Enneagram) ······ 18

활동 4 자기개방 · 21

4-1 조하리창 그리기 ······ 22

활동 5 인생각본 · 25

5-1 생활자세(OK gram) ······ 26
5-2 교류분석 ······ 28

CONTENTS

활동 6 의사소통 유형 · 33

6-1 사티어의 의사소통 유형 ······ 34

활동 7 효과적 의사소통 · 35

7-1 공감하기(5단계) ······ 36

7-2 반영하기 ······ 37

활동 8 중간 점검 · 39

활동 9 비효과적 의사소통 · 41

9-1 상대방의 감정을 무시하거나 왜곡하는 의사소통 ······ 42

9-2 부정적이고 공격적인 의사소통 ······ 43

9-3 나의 비효과적 의사소통 사례 ······ 44

활동 10 성숙한 의사소통 · 45

10-1 나전달법 ······ 46

10-2 비폭력대화 ······ 47

CONTENTS

활동 11 메타커뮤니케이션 · 49

11-1 오해가 반복될 때 ······ 50
11-2 남녀 차이로 인한 갈등 ······ 51

활동 12 의사소통 적용 · 53

12-1 의사소통 적용 ······ 54

활동 13 의사소통 발표소감/사례 평가 · 55

13-1 역할극 시나리오 ······ 56
13-2 조별 발표/평가 ······ 57
13-3 자기성찰 및 학기 소감 : 의사소통 교과에서 배운 점 ······ 59

The Art of Healthy Communication

01 활동

열기

1-1. 자기 소개
1-2. 조 구성과 규칙 정하기

팀빌딩과 활동

1. 조 숫자 : 총 ________ 조

2. 조당 인원 : 한 조당 5~6 명

리더 : 1명 선정(고정 또는 순환제)

리더의 역할 : 토론의 주제와 활성화, 발표자 선정

3. 조 활동 진행방법

- 제비 뽑기나 휴대폰 뽑기로 선정
- 조명 짓기와 조 명패 만들기
- 조 규칙 5개 만들기(동료평가 항목)
- 팀별로 나와서 소개하기

1-1 자기 소개

학 과		이 름		사진
반		학 번		
제출일	년	월	일	
나의 별칭				

자기소개

1. "나는 사람들이 나를 라고 부를 때 기분이 좋다."

2. "내가 가장 몰입하는 순간은 할 때다."

3. "만약 내가 지금 당장 여행을 떠날 수 있다면 로 가고 싶다.
   그 이유는 때문이다."

4. "다른 사람들이 나에게 놀라는 점 한 가지는 이다."

5. "내가 교수님(혹은 친구들)에게 꼭 추천하고 싶은 것은 이다.
   이유는 때문이다."

1-2 조 구성과 규칙 정하기

* 조원의 이름을 적는다.					
이름		이름		이름	
이름		이름		이름	

조 규칙
1.
2.
3.
4.
5.

*1점 단위로 하여 동료평가(5점) 평가기준입니다.

02 활동

자기이해

2-1. 자존감 검사
2-2. 비합리적 신념

2-1 자존감 검사

자존감 검사

• 3가지 하위영역 문항 분석과 채점

하위영역	문항번호	합계(개수×5점)	요인 별 나의 점수
수행자존감	4, 5, 10, 15. 16. 18, 19, 20	40(8×5)	
일반자존감	1, 3, 6, 7, 9, 11, 12, 14	40(8×5)	
사회자존감	2, 8, 13, 17	20(4×5)	
총점		100(20×5)	

※ 교재 17쪽의 역 채점 문항을 주의하여 채점하세요!

• 나의 항목별 점수를 근거로 나에 대한 성찰을 합니다.

1. 나의 특성은?

2. 내가 계발*하여야 하는 점은?

* 자기 계발(Self Improvement)은 내적인 성장과 역량 향상을 의미하고, 자기개발(Self-Development)은 자신이 가진 잠재력이나 기술, 능력을 개발하는 것

2-2 비합리적 신념

비합리적 신념을 합리적 신념으로 수정하기(반박하기)

• 나의 비합리적 신념 1

비합리적 신념	
합리적 신념	

• 나의 비합리적 신념 2

비합리적 신념	
합리적 신념	

03 활동

성격이해

3-1. MBTI(Myers-Briggs Type Indicator)
3-2. 에니어그램(Enneagram)

3-1 MBTI(Myers-Briggs Type Indicator)

1. MBTI에 대한 자신의 검사 결과를 보고 기록하기

1) 나의 성격유형은? (다음 해당하는 곳에 색칠하시오.)

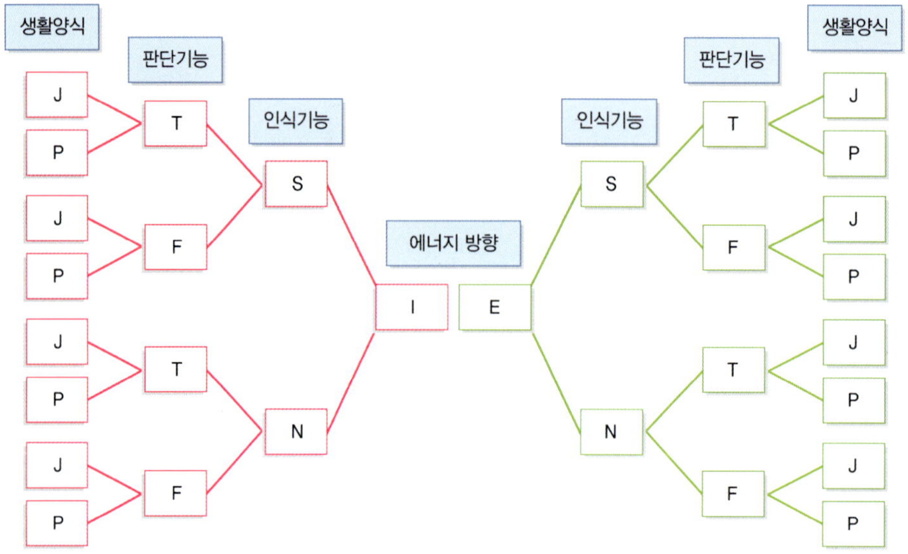

2) 내가 찾아낸 나의 성격 유형의 특성은?(예 : ISTJ)

2. 나의 선호 심리기능은?

- 나의 주기능은?
  인식기능 [감각(　　) 직관(　　)] 또는 판단기능 [사고(　　) 감정(　　)]
- 나의 부기능은?
  인식기능 [감각(　　) 직관(　　)] 또는 판단기능 [사고(　　) 감정(　　)]
- 나의 열등기능은?
  인식기능 [감각(　　) 직관(　　)] 또는 판단기능 [사고(　　) 감정(　　)]
- 나의 3차기능은?
  인식기능 [감각(　　) 직관(　　)] 또는 판단기능 [사고(　　) 감정(　　)]

3. 자신의 유형에 도움이 되는 방법을 적고 공유하기

1) 자신의 성격유형의 특성을 적는다.

2) 자신의 성격유형에서 선호하는 심리기능을 적고 특성을 설명한다.

- 주기능 :

- 주기능의 특성 :

3) 부기능, 3차기능, 열등기능을 찾고 특성을 설명한다.

- 부기능 :

- 3차기능 :

- 열등기능 :

3-2 에니어그램(Enneagram)

1. 하단에 소개한 간편도구(Riso-Hudson Quest)를 이용하여 에니어그램 성격유형검사를 실시한다.

*https://enneagram-app.appspot.com/quest

2. 에니어그램 검사 결과를 보고 자신의 유형을 ○ 표시하기

1) 나의 성격유형 확인(다음 해당하는 곳에 큰 원으로 표시하시오.)

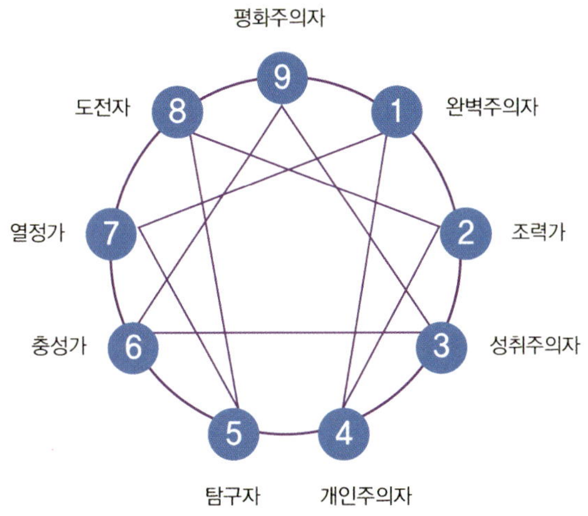

2) 나의 성격유형에 색칠하고 날개유형을 확인하시오.

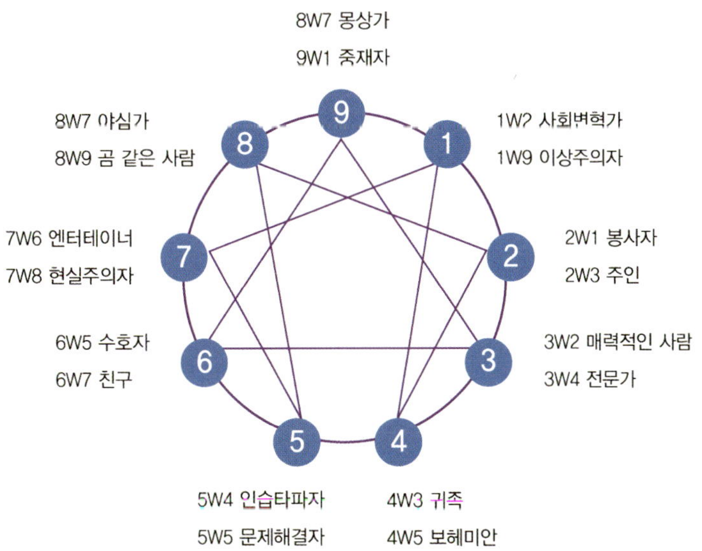

3. 자신의 유형에 도움이 되는 방법을 적고 공유하기

1) 자신의 유형과 그 특성을 적는다.

2) 자신의 유형의 양쪽 날개를 ○으로 표시하고 그 중 잘 개발된 쪽을 색칠한다.

3) 종합적으로 자신의 성격유형에서 장점을 적고 유의할 점을 적는다.

- 장점 :

- 잠재력을 개발할 점 :

- 자신의 유형의 성장 방향을 [　　　] 안에 적는다.

(성장방향은 3-6-9-3, 1-7-5-8-2-4-1 방향으로 변화됨)

9유형은 [9 → 3] 로 적는다.

04 활동

자기개방

4-1. 조하리상 그리기

4-1 조하리창 그리기

조하리창(Johari's window) 그리기

※ 교재 81쪽의 가로 점수와 세로 총점을 찾아 점을 찍고, 점을 직선으로 연결하면 사각이 된다. 사각형의 면적의 크기가 자신의 대인관계 특성을 나타낸다.

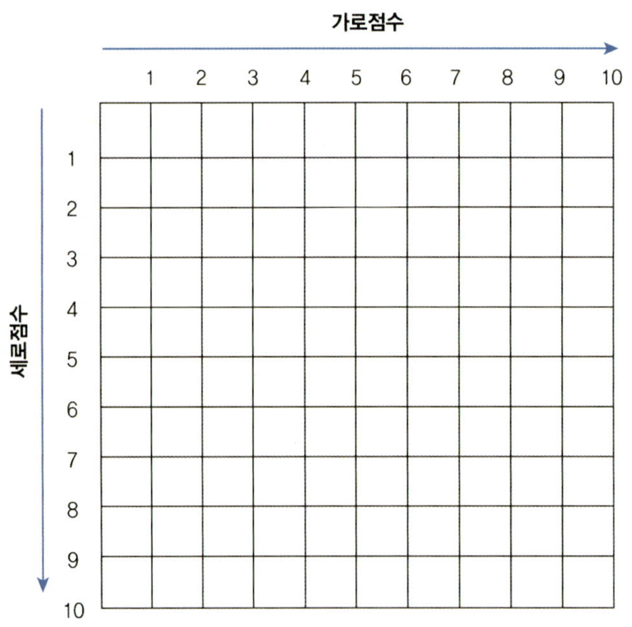

나의 유형은?	
내가 개선할 점은?	

참고자료

Johari window-인간관계유형

※ 넓은 면적이 자신의 유형이다.

05
활 동

인생각본

5-1. 생활자세(OK gram)
5-2. 교류분석

5-1 생활자세(OK gram)

• 목적

자기 자신을 객관적으로 이해하고, 인간관계 개선 및 자기계발에 참고한다.

• 진행

1. 40문항의 각 번호의 진술문에 대한 자신의 점수를 흰색 공란에 적는다.
2. 40개의 문항을 순서대로 내려가면서 ①②③④각 항별로 점수 합계를 낸다.
3. ①②③④각 항별로 다음 페이지 눈금 도표에 점수에 점을 찍고, 점끼리 연결한다.
4. 마름모꼴 4각형이 만들어지면 그 면적 안쪽에 색칠한다.
5. 4각형을 구성한 점수 중 최고점과 최소점을 중심으로 생활자세를 해석한다.

인생의 태도 : 오케이 그램(OK gram)작성하기

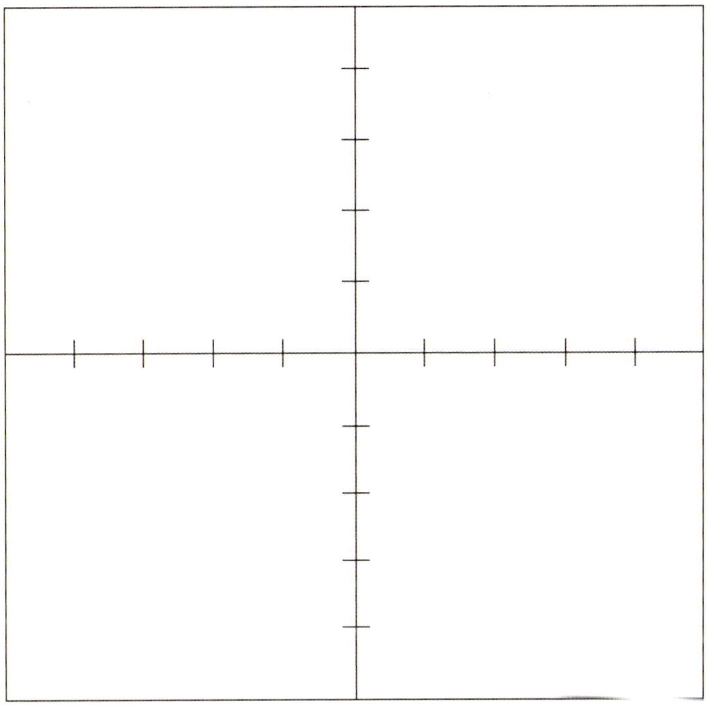

· 나의 생활자세 설명

5-2 교류분석

※ 다음 제시된 그림을 보고 자신의 일상생활에서 자신의 대화내용을 생각해보고, 상호적 교류, 교차적 교류 및 이면교류로 구분하여 작성하고 조별로 토론합니다.

5-2-1 상보교류

5-2-2 교차교류

5-2-3 이면교류

- P(parent) : 부모자아상태
- A(adult) : 성인자아상태
- C(child) : 어린이 자아상태

- S(stimulus) : 자극
- R(response) : 반응

S ⟶ R
(벡터)

5-2-1 상호보완적 교류(Complementary transaction)

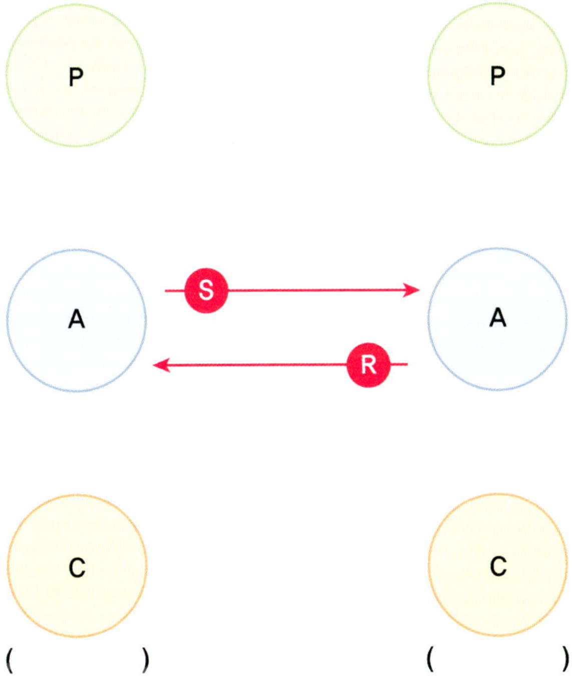

S :

R :

※( )안에 대화하는 사람을 적으세요. 예) 어머니, 딸, 아들 등

5-2-2 교차적 상호교류(Crossed transaction)

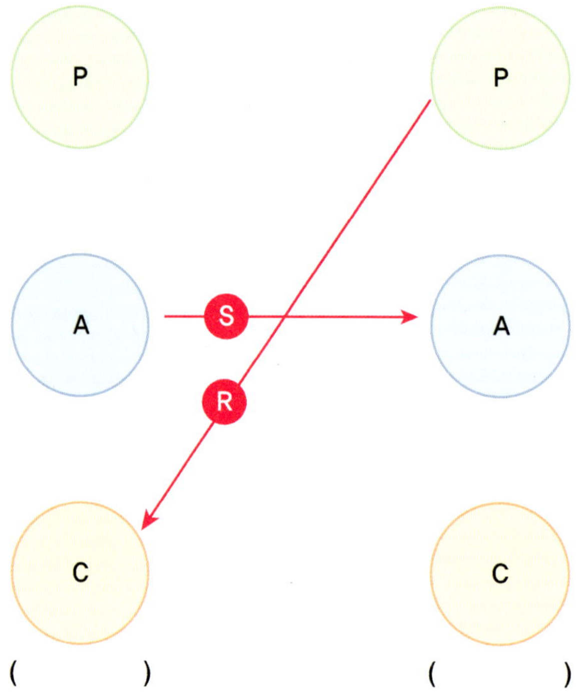

S :

R :

※(　)안에 대화하는 사람을 적으세요. 예) 어머니, 딸, 아들 등

5-2-3 이면교류(Ulterior transaction)

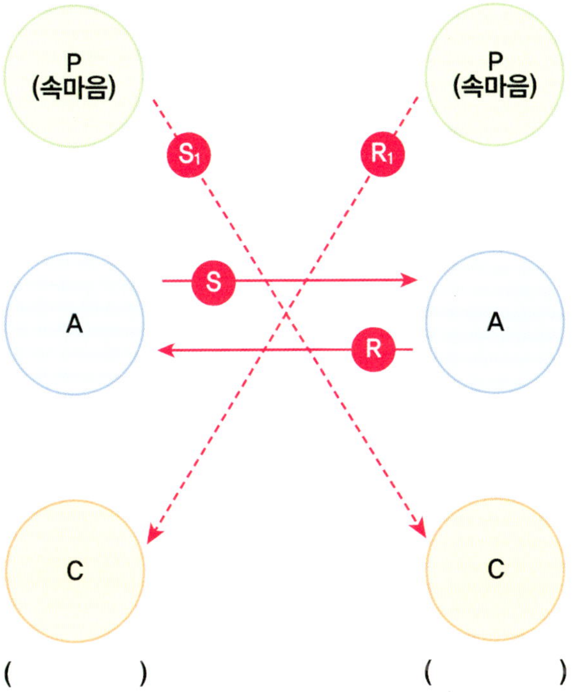

※ 위 그림은 상호보완적교류로 보이나 사실은 이면교류이다. S1, R1은 화자의 말과는 다른 속마음이기 때문이다.

S :
R :

S_1 :
R_1 :

※ (   )안에 대화하는 사람을 적으세요. 예) 어머니, 딸, 아들 등

The Art of Healthy Communication

06
활 동

의사소통 유형

6-1. 사티어의 의사소통 유형

6-1 사티어의 의사소통 유형

※ 교재 121~122쪽에서 자신이 A-E에 체크한 것의 수가 많은 알파벳이 자신의 유형이다.

<table>
<tr><th colspan="2">의사소통 사례</th></tr>
<tr><td>나의 의사소통 유형</td><td></td></tr>
<tr><td>상황/일상생활</td><td></td></tr>
<tr><td>나의 평소의 의사소통으로 말하기</td><td>기능적 의사소통 하기</td></tr>
<tr><td></td><td></td></tr>
<tr><td colspan="2">기능적으로 수정한 후 느낌</td></tr>
<tr><td colspan="2"></td></tr>
</table>

07

활동

효과적 의사소통

- 기본적 경청과 이해 기술

7-1. 공감하기(5단계)

7-2. 반영하기

기본적 경청과 이해 기술

7-1 공감하기(5단계)

상황		학생
대상자 표현	공감단계	공감반응
친구가 아는 문제를 틀려서 책상을 치고 운다.	1단계 (비공감적 반응)	
	2단계 (형식적 반응)	
	3단계 (기본적 공감)	
	4단계 (고급 공감)	
	5단계 (심층적 공감)	
생각/느낌		

* 교재 128~130쪽의 Kruax & Carkhuff(1967)의 5단계 공감적 반응수준을 참고하여 적용하시오.

기본적 경청과 이해 기술

7-2 반영하기

대상자 표현	반영하기	
	내용반영 (수용적 반영)	
	감정반영 (공감적 반영)	

대상자 표현	반영하기	
	내용반영 (수용적 반영)	
	감정반영 (공감적 반영)	

08
활 동

중간 점검

The Art of Healthy Communication

09 활동

비효과적 의사소통

9-1. 상대방의 감정을 무시하고 왜곡하는 의사소통
9-2. 부정적이고 공격적인 의사소통
9-3. 나의 비효과적 의사소통 사례

9-1 상대방의 감정을 무시하거나 왜곡하는 의사소통

일시적으로 안심시키기	
일시적으로 안심시키는 대화	효과적 의사소통으로 수정
일시적 안심을 사용한 후의 느낌	
효과적으로 대화한 후의 느낌	

9-2 부정적이고 공격적인 의사소통

비난하기	
비난하기 대화	효과적 의사소통으로 수정

비난하기 대화를 사용한 후의 느낌

효과적으로 대화한 후의 느낌

9-3 나의 비효과적 의사소통 사례

오늘이나 근래에 당신이 사용했던 비효율적 의사소통을 기술하시오.		
경험	사용한 비효과적 의사소통술	효과적 의사소통으로 수정
사례 1)		
사례 2)		
사례 3)		
사례 4)		
사례 5)		

비효과적 의사소통을 사용한 후의 느낌

효과적 의사소통을 사용한 후의 느낌

10 활동

성숙한 의사소통

10-1. 나전달법
10-2. 비폭력대화

10-1 나전달법

※ 제시된 대화를 (상대의 행동), (그 행동이 나에게 영향을 준 감정), (행동의 영향) 등으로 '나전달법'의 표현을 ( ) 안에 기록합니다.

"오빠는 왜 맨날 내가 공부도 못하게 해!(책을 책상에 던지듯 내려놓는다.)"

- '나전달법'으로 ( )에 적고, 구성요소를 구분해 봅니다.

나는 ( ) ( ) ( ).

"얘! 너, 내 볼펜 언제 줄 거야! 왜 안줘"

- '나전달법'으로 ( )에 적고, 구성요소를 구분해 봅니다.

나는 ( ) ( ) ( ).

* 자신의 일상생활에서 반복적으로 일어난 일에 대해 적용해본다.

10-2 비폭력대화

의사소통 분석 사례보고서

오늘 또는 근래에 당신이 사용했던 자칼언어 대화를
기린언어(비폭력적) 대화로 수정하여 기술하시오.

사례	
자칼언어 대화	• 평가 : • 생각 : • 욕구 : • 강요 :
기린언어 대화	• 관찰 : • 느낌 : • 욕구 : • 요청 :

일상적으로 사용했던 자칼언어를 사용했을 때의 느낌

경험을 기린언어로 수정해 본 후의 느낌

11 활동

메타커뮤니케이션

11-1. 오해가 반복될 때
11-2. 남녀 차이로 인한 갈등

11-1 오해가 반복될 때

오해가 반복될 때 사용	
갈등을 빚는 상황	메타커뮤니케이션 대화로 표현
메타커뮤니케이션 사용 후의 느낌	

11-2 남녀 차이로 인한 갈등

남녀간의 대화에서 어려울 때	
갈등을 빚는 상황	메타커뮤니케이션 대화로 표현
메타커뮤니케이션 사용 후의 느낌	

The Art of Healthy Communication

12
활동

의사소통 적용

12-1. 의사소통 적용

12-1 의사소통 적용

대상	비효과적 대화	효과적 대화	설명
예시) 아동	학교에서 착하게 행동을 해야지	친구들에게 친절하게 말하고 즐겁게 놀아.	추상적 표현을 구체적으로 하기
1.			
2.			
3.			
4.			
5.			
6.			
7.			
8.			
9.			
10.			

* 교재 [단원4 의사소통의 실제] 효과적, 비효과적 의사소통 사례 중 가장 친근한 것을 제목을 선정하여, 건강하게 표현해본다.

13 활동

의사소통 발표소감/사례 평가

13-1. 역할극 시나리오
13-2. 조별 발표/평가
13-3. 자기성찰 및 학기 소감 : 의사소통 교과에서 배운 점

13-1 역할극 시나리오

- 주제 :
- 참여자(배역 포함) :
- 시나리오 2부(비효과적 대화와 효과적 대화로 수정한 것)

* 별지 작성 가능함

13-2 조별 발표/평가

<table>
<tr><th>조(조 이름)
주제</th><th>가장 좋았던 점</th><th>수정할 점</th></tr>
<tr><td>1조
(　　　　)</td><td rowspan="2"></td><td rowspan="2"></td></tr>
<tr><td></td></tr>
<tr><td>2조
(　　　　)</td><td rowspan="2"></td><td rowspan="2"></td></tr>
<tr><td></td></tr>
<tr><td>3조
(　　　　)</td><td rowspan="2"></td><td rowspan="2"></td></tr>
<tr><td></td></tr>
<tr><td>4조
(　　　　)</td><td rowspan="2"></td><td rowspan="2"></td></tr>
<tr><td></td></tr>
<tr><td>5조
(　　　　)</td><td rowspan="2"></td><td rowspan="2"></td></tr>
<tr><td></td></tr>
</table>

<table>
<tr><th>조(조 이름)
주제</th><th>가장 좋았던 점</th><th>수정할 점</th></tr>
<tr><td>6조
(　　　　　)</td><td rowspan="2"></td><td rowspan="2"></td></tr>
<tr><td></td></tr>
<tr><td>7조
(　　　　　)</td><td rowspan="2"></td><td rowspan="2"></td></tr>
<tr><td></td></tr>
<tr><td>8조
(　　　　　)</td><td rowspan="2"></td><td rowspan="2"></td></tr>
<tr><td></td></tr>
<tr><td>9조
(　　　　　)</td><td rowspan="2"></td><td rowspan="2"></td></tr>
<tr><td></td></tr>
<tr><td>10조
(　　　　　)</td><td rowspan="2"></td><td rowspan="2"></td></tr>
<tr><td></td></tr>
</table>

13-3 자기성찰 및 학기 소감 : 의사소통 교과에서 배운 점

※ 여러 분야에서 배운 점을 구체적으로 작성하시오. 행동으로까지 보여질 때 진정으로 배우게 됩니다. (발표는 유인물을 보지 않고 합니다.)

MEMO

MEMO

MEMO

건강한 의사소통

The Art of Healthy Communication

소|통|저|널

한국간호연구학회 편

Korean Society of Nursing Research

초판발행 2025년 12월 3일
저 자 양경희, 권은하, 문인오, 박요한, 배영주, 이명순, 이은영, 한은주

발행인 이 운 현
발행처 **퍼시픽북스**
서울특별시 중구 충무로 29 아시아미디어타워 501호
TEL. 02-2272-7766(代) / FAX. 02-2272-7166
www.papu.co.kr

ISBN 979-11-6375-536-4

The Art of Healthy Communication